Le journal de
Nicolas Dorthiez à
Londres

D1462925

Remerciements
à Emile et Patricia.

Participation à l'ouvrage : Caroline Fait

Direction éditoriale : Christophe Savouré
Direction artistique : Marion de Rouvray
Conception graphique : Sylvaine Beck
Fabrication : Thierry Dubus, Anne Marmey

ISBN : 978-2-7404-2938-9
MDS : 60561

Le journal de
Nicolas Dorthiez à
Londres

Texte de Xavier Mauméjean
Illustrations de Hélène Swynghedauw

Je ne comprends pas que l'on puisse dire une chose et faire son exact opposé. Ma famille nage en pleine contradiction ces temps-ci... Par exemple : papa et maman n'arrêtent pas de me reprocher de faire ma mauvaise tête et de ne pas les aider, alors qu'ils auraient bien besoin d'un coup de main, surtout en ce moment ; et tandis qu'ils m'expliquent que je devrais davantage m'impliquer dans notre vie de tous les jours, ils ne trouvent rien de mieux que de m'envoyer en Angleterre ! Comment pourrai-je être plus proche d'eux s'ils m'expédient au loin ?

Quatre jours à Londres parce que j'ai des mauvaises notes en anglais. C'est vrai, je le reconnais, je ne fais aucun effort pendant les cours de Miss Hersey, la professeur qui vient nous donner des leçons en classe une fois par semaine. Elle le regrette d'autant plus qu'il semblerait que je sois doué... Mais pourquoi aurais-je besoin d'apprendre une langue étrangère alors qu'on ne se parle plus chez nous ? Je pense surtout que maman et papa veulent rester avec ma petite sœur. Elle s'appelle

Camille et a tout juste cinq mois. Maman enseigne le français dans un collège et dort peu la nuit. Quant à papa, c'est à peine si je le vois en ce moment. Avant, il était cuisinier dans un des plus grands restaurants de la capitale, mais, depuis le début de l'année, il a ouvert le sien avec des amis.

Tout cela fait beaucoup de changements…

Je vais donc séjourner à Londres, chez Franck et Kathryn Walker. Ce sont des amis de mes parents. Ils se sont rencontrés il y a une dizaine d'années, lors d'un programme d'échange européen entre leurs universités. Je me rappelle les avoir vus, il y a longtemps. Franck est historien et Kathryn enseigne le dessin dans une *art school*, une école de dessin et d'histoire de l'art. Ils ont une fille, Elizabeth, qui a à peu près mon âge.

Tout cela, je le réentends ce soir au dîner. Comme c'est la veille du départ, papa a préparé mon plat préféré. Je sais qu'il y a mis tout son cœur, mais je ne parviens pas à l'apprécier. Les aliments ont le goût fade et triste d'un au revoir.

ARRIVÉE

On se lève tôt. C'est maman qui m'accompagne à l'aéroport de Roissy-Charles-de-Gaulle. J'aurais préféré voyager dans l'Eurostar pour emprunter le tunnel sous la Manche, mais je vais faire le trajet sur un vol Air France. Nous nous présentons au guichet pour enregistrer ma valise et la réceptionniste nous remet en souriant mon billet, la carte d'embarquement, ainsi qu'un badge. Il nous reste environ une heure à attendre. Chez le marchand de journaux, maman m'achète des grilles de sudoku. J'aime bien ce passe-temps, parce que chaque chiffre doit trouver exactement sa place. Je pense à Camille et me dis que c'est pareil pour les gens.

Maman m'ébouriffe les cheveux puis m'assure que je vais leur manquer.

Le haut-parleur annonce mon vol, il est temps d'embarquer. J'embrasse très fort maman, qui me serre dans ses bras en m'appelant « mon grand garçon ». Papa, lui, m'aurait sûrement dit « fiston » en faisant semblant de rire pour ne pas montrer son émotion.

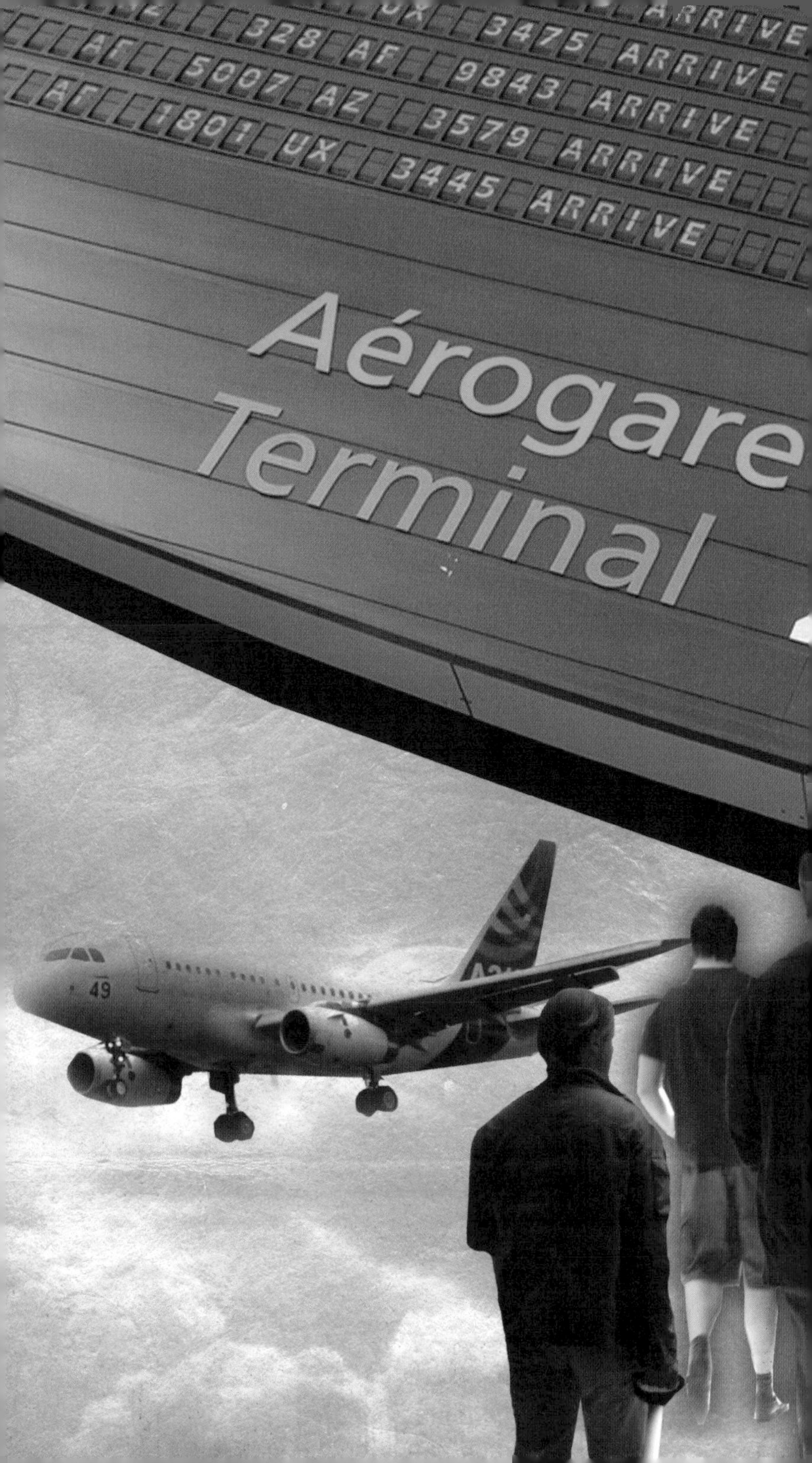
Aérogare
Terminal

AMSTERDAM AF
2125 LONDRES-HEA AF
2130 MADRID AF
2130 FIGARI AF
2140 GENEVE AF
2145 ROME-FIUMIC AF
2145 MILAN-MALPE AZ
Hall
Hall
F

J'ai comme une boule dans la gorge quand l'hôtesse vient me chercher. Elle m'indique mon siège avec son léger accent anglais, s'assure que ma ceinture est bien attachée et me propose gentiment un jus de fruit. J'entends à peine le commandant de bord :

« … *Vous avez pris place à bord du vol à destination de Londres. Les conditions climatiques sont favorables, le temps est doux en cette saison. Heure d'arrivée prévue : treize heures, heure locale. Nous allons décoller.* »

L'avion quitte la piste et s'élève. On ne voit bientôt plus que des nuages à travers le hublot. Je n'ai pas envie de lire ni de remplir une grille de numéros. Curieusement, je pense au cours de géométrie, quand le professeur trace une droite sur le tableau.

Et la ligne atteint son point d'arrivée, autrement dit l'aéroport d'Heathrow dans la banlieue ouest de Londres. L'hôtesse m'accompagne à la réception des bagages. En chemin, j'aperçois plusieurs panneaux qui représentent des animaux de compagnie, barrés d'un trait. Je demande ce qu'ils signifient à mon accompagnatrice, qui me répond qu'on ne peut faire entrer son chien ou son chat avant de les avoir soumis à une longue période d'examen. Ma première réaction est de trouver ça sévère, mais je me dis qu'après tout c'est pour le bien des animaux. Trop de gens font n'importe quoi avec leurs compagnons à quatre pattes, c'est bien que l'on pense à leur santé. Je récupère enfin ma valise et rejoins le hall d'accueil où m'attend la famille Walker.

Difficile de ne pas les voir. Franck, le père, tend à bout de bras une feuille où sont marqués mon prénom et mon nom ! Il a l'air sympathique, le visage mince et souriant, et un début de calvitie. Kathryn, son épouse, a une chevelure épaisse, d'un roux flamboyant, coiffée en chignon. Ils sont habillés de tweed et de velours aux couleurs d'automne, j'aime bien leur *look*. Elizabeth s'avance et je découvre une fille un peu plus âgée que moi aux yeux d'un incroyable bleu clair, au teint aussi pâle que de la porcelaine. Je bafouille quelque chose en français et Elizabeth me répond dans sa langue :

— *Nice to meet you too*, Nicolas !

Kathryn rit, Franck s'empare de ma valise et nous grimpons dans un taxi. Un *black cab*, précise Elizabeth, on dirait un énorme scarabée noir.

Le véhicule quitte l'aéroport, s'engage sur la voie rapide en roulant à gauche. Bien sûr, Miss Hersey nous a expliqué en classe que la conduite en Angleterre est inversée, mais ce n'est pas la même chose de le savoir et de le constater ! Ça, et le fait que les Walker parlent en anglais, suffit à me dépayser. On dirait que le monde est arrangé autrement, à la fois proche de mon univers habituel et tellement différent…

Franck me demande comment s'est passé le vol, Kathryn veut savoir comment vont maman et papa. Je réponds *fine* chaque fois, ce qui veut dire « bien ». C'est terriblement insuffisant pour dialoguer, je commence à regretter de n'avoir pas plus travaillé. Elizabeth me presse la main et m'assure que je ne vais pas tarder à faire des progrès. Sans trop

savoir pourquoi, je pense alors à ma petite sœur Camille, qui devra bientôt apprendre à parler. Nous ne sommes pas si différents, tous les deux…

Le taxi arrive à Earl's Court, qui est le quartier où vivent les Walker. C'est un endroit agréable, avec des parcs et de jolies maisons blanches. Nous entrons dans l'une d'elles, et là je découvre un véritable bazar ! Les livres s'empilent n'importe où, des DVD traînent sur les tapis qui recouvrent le parquet. Mais il se dégage de l'ensemble une chaude ambiance, un désordre confortable, différent de celui qui règne depuis quelque temps à la maison. Cela semble être la façon de vivre des Walker.

Je sens alors quelque chose se frotter contre ma jambe. Elizabeth gratouille la tête d'un énorme chat persan qui ronronne. Après m'avoir étudié, il s'en retourne au salon.

— Je te présente Cheese, me dit Kathryn.

— Fromage ? dis-je en me souvenant du mot.

Elizabeth se met à rire :

— Oui, nous l'avons appelé comme ça parce qu'il est très gourmand !

En fait, je comprends assez bien ce que l'on me dit, voilà qui est rassurant.

Franck emprunte le grand escalier au bout du couloir et m'invite à le suivre au premier étage. Il pose ma valise sur le lit et je découvre ma chambre, petite et jolie. Je rejoins celle d'Elizabeth après avoir rangé mes affaires. Elle a décoré les murs de posters, des affiches de groupes musicaux qui sont les mêmes que ceux qu'aiment les filles de ma classe. De chaque côté de la Manche, il semblerait que l'on ait des goûts en commun.

Cela vaut pour la musique, mais aussi pour les films, car Elizabeth aime le cinéma, tout comme moi. On se lance dans une longue discussion – finalement, ça n'est pas si difficile. Elle me demande de l'appeler Liz, et je ne vois pas passer le temps.

Kathryn nous appelle pour le thé. Je ne peux m'empêcher de faire la grimace, car la seule fois où j'y ai goûté, ça ne m'a vraiment pas plu… D'ailleurs, à la maison, il n'y a que maman qui en prend. Nous descendons dans la salle à manger et, là, je trouve la table mise !

Franck m'explique que les Anglais appellent « thé de cinq heures » ce qui correspond chez nous au dîner. Peu importe que nous ne soyons qu'en fin d'après-midi car j'ai faim, le repas servi dans l'avion me paraît bien loin. Me souvenant des plaisanteries de papa sur la cuisine anglaise, je suis un peu inquiet. Mais le *roastbeef* est absolument délicieux, servi avec une purée onctueuse qu'accompagnent des petits pois énormes et fluorescents. Ils craquent sous la dent ! Pour le dessert, Kathryn a préparé une gelée qui semble danser sur son plat, sans se renverser. Elle a un savoureux goût de framboise.

J'aide à débarrasser la table. Une fois la vaisselle lavée, nous gagnons le salon avec sa cheminée où rougeoie une curieuse bûche électrique qui semble faire les délices de Cheese le chat. Franck et Kathryn prennent place dans de vieux et confortables fauteuils en cuir, et je m'assieds sur le canapé tendu de tissu à carreaux en compagnie d'Elizabeth. J'interroge Kathryn sur son travail, pas simplement par politesse, mais parce que j'en ai envie. Alors que j'étais méfiant au début, je me sens bien dans ma famille d'accueil.

— Je donne des cours de dessin, me dit la mère de Liz.

Puis je questionne son mari, qui répond :

— Actuellement, je travaille sur un événement qui fera date.

— Les Jeux Olympiques de 2012 ?

Franck devient subitement grave :

— Non, Nicolas. En tant qu'historien, je suis davantage tourné vers le passé que vers le futur. Les Londoniens s'apprêtent à commémorer un triste anniversaire en 2008. Il y a cent vingt ans, cinq malheureuses femmes étaient assassinées par Jack l'Éventreur.

— Ici ? dis-je en ouvrant grand les yeux.

— De la fin août 1888, jusqu'au début du mois de novembre, un tueur a sévi sauvagement dans les ruelles et les impasses de Whitechapel.

— Autrement dit l'un des endroits les plus défavorisés de la ville, encore de nos jours, précise Kathryn.

— Et on l'a arrêté ?

C'est Elizabeth qui répond :

— Non, et son identité est toujours restée un mystère. C'est pourquoi on ne le connaît que par son surnom, *Jack the Ripper*.

Je m'étonne qu'une fille de son âge puisse s'intéresser à quelque chose d'aussi atroce, quand Franck semble deviner ma pensée :

— C'est la mémoire de la cité, Nicolas, ses habitants doivent en accepter tous les aspects, bons ou mauvais. De plus, à l'époque, cet horrible fait divers a été suivi par les journaux des deux côtés de l'Atlantique. Il annonce notre époque moderne…

Kathryn intervient :

— Allons, ne noircissons pas le tableau, notre invité va croire qu'il est tombé dans une famille de fous ! Nicolas, demain, je te propose de faire le tour traditionnel de Londres. Westminster, la Tour de Londres…

Je ne peux m'empêcher de m'exclamer :

— Mais c'est pour les touristes !

Franck rit :

— Effectivement, peu de Parisiens doivent

visiter la tour Eiffel ou effectuer une promenade en bateau-mouche, mais c'est un des visages de Londres, le plus connu. Tu verras, tu auras plaisir à le découvrir.

Liz intervient :

— Et je t'accompagnerai. Comme cela, tu nous diras tes impressions le soir et, en contrepartie, *Daddy* te racontera un pan de l'histoire de notre ville.

— Excellente idée, et tu as intérêt à bien t'exprimer, car sinon tu ne mangeras pas ! ajoute Franck avec le plus grand sérieux.

Me priver de nourriture ? Mince alors. Mais bientôt, j'aperçois une lueur malicieuse dans son regard. Liz éclate de rire et m'explique que son père adore l'humour pince-sans-rire, typiquement britannique.

Franck se tourne vers son épouse et observe :

— Échanger une histoire contre une histoire, c'est ce que demanderait Peter.

— Peter, qui est-ce ?

— Tu le sauras bientôt, Nicolas, me répond Liz avec un air mystérieux.

Cheese le chat semble m'adresser lui aussi un

sourire énigmatique. Le téléphone sonne, Kathryn décroche. C'est papa !

PREMIER JOUR

Le lendemain matin, je suis un peu déçu par le petit déjeuner. Je m'attendais au traditionnel *breakfast* avec œuf au bacon. Au lieu de quoi j'ai droit à des toasts coupés en triangles et à du chocolat chaud. Il n'est pas bon, c'est de la simple poudre de cacao diluée dans de l'eau chaude, rien à voir avec le chocolat crémeux que fait papa.

Liz et moi partons avec Kathryn, qui doit donner un cours à son école. Nous empruntons l'*underground* – c'est le plus ancien métro du monde, avant même celui de Paris. On le surnomme aussi le *tube* à cause de ses longs tunnels de forme circulaire. Un jeu de couleurs indique les différentes lignes : marron, rouge, noir, jaune, orange...

Tout de suite, je remarque qu'il y a des passagers de différentes ethnies dans la rame, comme si les couleurs du métro rendaient

hommage à leurs origines. Je le dis à Liz, qui approuve :

— Tu as raison. Londres compte beaucoup d'Indiens, de Pakistanais, de Jamaïcains, de Kenyans ou de Chinois. Ils viennent des pays qui appartenaient autrefois à l'Empire britannique, mais aussi du monde entier. C'est l'une des plus grandes richesses de la ville.

Liz et moi arrivons à destination, Kathryn poursuit son trajet. Nous empruntons l'Escalator pour nous retrouver au centre de la cité. L'agitation dans les rues n'a rien à envier à Paris.

Nous parvenons à Hyde Park. C'est incroyable de penser qu'il puisse y avoir un aussi grand parc en plein cœur de la capitale ! J'imagine maman se promenant avec Camille, tout le bien que cela lui ferait. Il y a longtemps que je n'avais pas eu une pensée gentille pour ma petite sœur. Ce n'est pas que je lui en veuille, du moins je ne crois pas, mais elle a tellement changé notre vie. « La tienne, ne sois pas égoïste », me souffle une petite voix qui réussit à m'embarrasser.

Je reporte mon attention sur Liz, qui pointe des

oiseaux du doigt. Il y en a une quantité, et elle parvient à les nommer tous. Corneilles, rouges-gorges, et plein d'autres espèces encore que je ne peux identifier.

Mais je suis tout de même capable de reconnaître un écureuil ! Il y en a partout, sur les pelouses ou sur les arbres, et ils ne semblent guère impressionnés par les promeneurs. J'observe un attroupement dans une partie du parc. Les gens sont rassemblés autour d'un homme qui est debout sur une caisse. Il parle fort, et son auditoire approuve ou au contraire hausse les épaules.

— C'est le *speaker's corner*, précise Liz, le coin des orateurs. À cet endroit, chacun est libre d'exprimer son avis, à condition de ne pas s'en prendre à la reine.

Un peu comme ce qui se passe à la maison. J'ai le droit de donner mon opinion, sauf en ce qui concerne Camille. La petite voix se tait dans ma tête, et je le regrette un peu.

Nous atteignons un point d'eau : le lac Serpentine marque la limite entre Hyde Park et les jardins de Kensington.

— C'est le domaine de Peter, me souffle Elizabeth à l'oreille.

— Le Peter dont vous parliez hier, avec tes parents ?

— Non, encore que… Regarde la statue !

Je vois un jeune garçon vêtu d'une sorte de chemise ample. Il paraît gracieux et agile, capable à tout instant de se détacher de son socle pour s'envoler.

Liz me précise avec une pointe d'admiration dans la voix :

— Peter Pan, le personnage créé par James Matthew Barrie. C'est mon roman préféré !

Nous quittons le parc. En chemin, Liz me parle de Peter Pan, le garçon aux oreilles de faune, l'enfant qui ne veut pas grandir. Dans le livre, il ne veut plus retourner chez lui parce que sa mère vient d'avoir un bébé. Maman m'a offert le DVD, mais je ne l'ai pas encore vu. Je le ferai en rentrant : ce que vient d'en raconter Liz me donne envie de le regarder !

Un garçon nous rejoint. Il est maigre, plus âgé que nous et franchement mal fagoté avec son veston d'adulte retaillé à sa mesure et son

pantalon usé. Il repousse sa casquette qui coiffe une tignasse de cheveux noirs et lance :

— *Hullo*, Lizbeth !

Pas « hello », et encore moins « Elizabeth » ou « Liz », ce qui ne paraît pas déranger mon amie. Elle lui adresse un magnifique sourire.

— Comment t'appelles-tu ? me demande-t-il.

— Nicolas, dis-je en lui tendant la main.

— Salut, Nicky, moi c'est Peter.

Voilà donc le fameux Peter. Sa poignée de main est ferme.

— Tu viens d'où ?

— De France.

Peter affiche un sourire goguenard qui ne me plaît qu'à moitié.

— Ça, excuse-moi, je m'en serais douté en entendant ton accent. De quelle ville ?

— Paris.

— C'est la ville du Paris-Saint-Germain ? dit-il avec une lueur intéressée dans le regard.

— Oui.

— J'avoue que c'est un assez bon club de football, mais pas meilleur que ceux de Londres ! ajoute Peter en m'adressant un clin d'œil.

C'est vrai que la ville a Arsenal et Chelsea. J'aime bien le foot moi aussi, cela nous fait au moins un point commun.

— Tu as des parents ? me demande Peter.

Je trouve la question bizarre, mais je lui réponds.

— Et des frères et sœurs ? insiste-t-il.

— Une petite sœur, Camille.

Peter hoche la tête.

— Tu es un *lucky boy*, Nicky, un garçon qui a de la chance.

Puis il échange quelques mots très rapidement avec Liz et s'en repart en sifflotant.

— Dis donc, il est curieux ton copain !

J'ai l'impression de lire de la tristesse dans les yeux d'Elizabeth quand elle me répond :

— Surtout, ne sois pas vexé, Peter est orphelin.

Comment aurais-je pu m'en douter ? Il n'empêche que je ne me sens pas à mon aise.

— Où vit-il ?

— Chez son oncle.

Je suis désolé pour Peter alors qu'on se connaît à peine.

— Et que fait-il ?

Liz me répond :

— Peter ne va plus à l'école mais il est très intelligent. C'est un touche-à-tout, il exerce mille métiers. Je l'ai connu un jour où il est passé par ma fenêtre.

J'ouvre de grands yeux, mais Liz ne semble pas plaisanter. Elle poursuit :

— En fait, il était venu remplacer ma vitre. On a discuté et je l'ai trouvé immédiatement sympathique. Nous nous sommes revus, Peter est devenu pour moi comme un frère.

— Et qu'en pensent tes parents ?

— Ils l'aiment beaucoup. De son côté, je crois que Peter nous considère un peu comme sa seconde famille. Et puis, tu verras, il est la mémoire vivante de Londres, *Daddy* affirme qu'il n'y a pas plus précieux que lui pour connaître les coutumes de la rue.

Nous allons vers l'abbaye de Westminster. En face, le palais de Westminster contient plus de mille pièces et accueille la Chambre des communes et la Chambre des lords. Cela ne m'intéresse pas vraiment, tout comme Big Ben, l'immense horloge à quatre cadrans.

— Tu ne trouves pas ça beau ? me demande Liz.

— Bien sûr que si, mais ma prof d'anglais nous en a parlé en long et en large.

— Dans ce cas, je te propose d'aller à la Tour de Londres.

C'est une véritable forteresse qui fut un temps la résidence des rois mais aussi une prison et bien d'autres choses encore. On raconte même qu'elle est hantée par plusieurs fantômes qu'aperçoivent parfois les gardiens de la place forte. Ils sont surnommés les *beefeaters*, me dit Liz, les « mangeurs de bœuf ». Les soldats portent d'étranges uniformes à l'ancienne, sans parler de leurs hallebardes !

Nous décidons d'aller admirer les fameux Joyaux de la Couronne.

Avant d'accéder à la salle d'exposition, on doit franchir une énorme porte blindée. Les bijoux sont présentés sur un tapis roulant et il est interdit de prendre des photos.

On se croirait dans un film de James Bond, je suis sûr que papa apprécierait ! J'adorais quand on allait tous les deux au cinéma, mais il n'a plus le temps…

En sortant, Liz me montre d'énormes corbeaux aux ailes rognées.

— Mais c'est cruel, pourquoi fait-on ça ?

— Parce qu'une légende prétend que, tant qu'il y aura des corbeaux dans la Tour, l'Angleterre ne sera pas envahie. C'est pourquoi on leur coupe les ailes. Afin qu'ils ne puissent pas s'envoler et restent toujours ici.

Le soir, je téléphone à la maison. Tout va bien et je me surprends à demander des nouvelles de Camille. J'entends au ton de sa voix que cela fait plaisir à maman. Après le repas – une tourte au poulet délicieuse dont Kathryn sert d'énormes parts –, nous nous installons dans le salon. Franck prend immédiatement un air sérieux, celui qu'il doit adopter, j'imagine, quand il fait des conférences. Mais je sais maintenant que c'est sa façon de plaisanter.

— Alors, *young chap*, as-tu de quoi justifier ton dîner ?

Cheese le chat m'adresse un regard qui semble dire : « Ne fais pas trop attention mais réponds-lui quand même. »

Je parle de la beauté des parcs, de l'imposante

forteresse, de ses bijoux et de la légende des corbeaux. Franck approuve :

— Oui, Nicolas, splendeur et puissance, tu as découvert la belle face de Londres. Mais la cité en recèle d'autres plus sombres.

— Comme celui de la Grande Peste, fait Liz d'un ton lugubre, qui me fait entrevoir ses talents d'actrice.

Kathryn diminue alors l'éclairage de l'halogène, donnant aux Walker un air inquiétant. Décidément, c'est une famille d'excentriques ! J'attends la suite, intrigué.

Franck inspire à fond comme s'il allait effectuer un plongeon et se lance :

— Tout a commencé durant l'hiver 1664, quand des bateaux hollandais ont apporté à Londres la peste bubonique. L'hiver était si froid que la maladie ne s'est pas déclarée avant le printemps de l'année suivante. La peste a d'abord touché les quartiers pauvres, comme cela arrive trop souvent, avant de se répandre. Chaque jour, tandis que la population se tenait cloîtrée dans les maisons, on entendait les cloches sonner le glas, dans le silence terrible des rues désertées.

December 1664

LONDON'S Dreadful Visitation
Or, A COLLECTION of All the
Bills of Mortality
For this Present Year:
Beginning the 27th of December 1664, and
ending the 19th of December following:
As also, The GENERAL or Whole years BILL:
According to the Report made to the
KING'S Most Excellent Majesty,
By the Company of Parish-Clerks of London, &c.

LONDON,
Printed and are to be sold by E. Cotes living in Aldersgate-street,
Printer to the said Company 1665.

HISTORIC LONDON

Great fire of London 1666

Bombardment 1940

Certains, rassemblant leur courage ou rendus fous de terreur, se précipitaient dans les boutiques d'apothicaires qui affichaient sur leur devanture le mot « *abracadabra* ».

— Comme pour un tour de magie ? dis-je.

— Il ne s'agissait pas des tours que l'on fait pour un goûter d'anniversaire, Nicolas, mais bien de sorcellerie. Les charlatans vendaient philtres et onguents pour se préserver du mal. Comme si la ville était brutalement retournée à ses débuts, bien avant l'arrivée des Romains.

— Et ça marchait ? je demande, une fois que Liz m'a traduit certains mots.

Franck répond :

— Hélas non, on a dénombré des victimes par milliers.

— Et comment ça s'est fini ?

— Au mois d'octobre 1665, le froid a fait reculer la peste. Je crois que c'est l'une des rares occasions où l'on ait eu à se féliciter du climat.

Je ne sais de quelle façon interpréter la dernière remarque de Franck. Est-ce de l'humour ? Mais dans ce cas, comment peut-on rire d'une chose pareille ?

Une fois dans ma chambre, je mets du temps à m'endormir. Je pense à tous ces gens dont la vie tranquille a soudain basculé dans le malheur. J'imagine Peter, sans famille, et me dis que j'ai de la chance. Il n'empêche que l'attitude des Walker est bizarre. Ils sont très gentils, je les apprécie, surtout Elizabeth, mais leurs histoires sont tout de même étranges.

DEUXIÈME JOUR

Aujourd'hui, Liz va continuer à me guider dans mon exploration du centre-ville. Nous prenons le métro en compagnie de son père, qui doit faire des recherches au British Museum. Durant le trajet, j'apprends qu'il s'agit d'un des plus anciens musées au monde. Liz me dit que l'on y conserve la pierre de Rosette, qui a permis de déchiffrer les hiéroglyphes égyptiens. Mais on y trouve aussi des paroles de chansons des Beatles, griffonnées sur des bouts de papier. Je trouve ça amusant que ce groupe se retrouve dans un musée, papa et maman les adorent. Première étape de la journée, Buckingham Palace. C'est la résidence principale de la famille royale. Cela depuis Victoria, qui fut la première reine à y résider, me dit Liz.

— Je ne la connais pas.

Mon amie me montre alors un monument planté face au palais. C'est le Victoria Memorial, qui représente la souveraine.

— On dirait une grand-mère qui veille sur les siens, dis-je.

Beatles

— C'est un peu comme cela que nous la considérons. Il faut dire qu'elle a régné plus de soixante ans, ce qui est un record !

Nous reportons notre attention sur le palais pour assister à la relève de la garde. J'essaye, comme tous les touristes, de distraire les soldats vêtus d'une tunique écarlate et coiffés d'un énorme bonnet de fourrure. Peine perdue, ils demeurent impassibles.

Nous reprenons la route et passons par Queen's Walk avant de remonter à pied jusqu'à la cathédrale Saint-Paul. J'admire son énorme dôme. Il est à ce point impressionnant, me dit Liz, qu'il a donné naissance à un proverbe londonien. « Aveugle comme une mouche sur la cathédrale Saint-Paul », ce qui veut dire qu'on ne peut saisir la coupole d'un seul regard.

Liz est décidément une bonne marcheuse ! Je la suis jusqu'à Trafalgar Square, une place imposante plantée en son centre d'une très haute colonne de granit.

— Elle commémore la victoire de l'amiral Nelson, lors d'une bataille navale contre les Français ! précise Liz en m'adressant un clin d'œil.

À sa base, quatre lions fondus dans le bronze des canons pris aux marins de Napoléon, et au sommet, l'officier, perché tout là-haut afin qu'il puisse voir la mer.

— On dirait qu'il lui manque un bras, dis-je en plissant les paupières.

— Et un œil, Nicolas. L'amiral Horatio Nelson était un brave qui avait été gravement blessé lors de plusieurs combats. C'est curieux, Peter ne semble pas l'apprécier…

— Pourquoi ?

— Je ne sais pas, cela tient peut-être au prénom de notre ami. Peter Pan, lui, déteste le capitaine Crochet, un autre marin célèbre qui a perdu son bras droit.

Parfois, j'ignore si Elizabeth plaisante ou si elle est sérieuse… Nous prenons le métro à Charing Cross et descendons à la station Leicester Square. Là, d'un coup, je sens un mélange de cannelle et d'oignons grillés qui flotte dans les rues. C'est à croire que mon nez m'indique quelque chose qui échappe à la vue. Parce que, si je m'en tiens à ce que je vois, il y a pour ainsi dire les mêmes fast-foods et cinémas qu'à Paris.

Pourtant, Londres ne sent pas pareil, je me dis que les villes ont peut-être chacune leur odeur, qui varie selon les saisons mais ne disparaît jamais.

Liz m'entraîne jusqu'à Piccadilly Circus, qui est une énorme place circulaire. On dirait une couronne ornée de bijoux. Liz répond en riant :

— Mais ceux-là ne sont pas enfermés dans un coffre-fort ! Peter dit souvent que la cité est comme une reine coquette qui se couvre de ses plus beaux joyaux. Regarde, il nous attend !

Effectivement, Peter est au pied d'une fontaine. Il me salue et, d'un mouvement de la tête, me fait signe de regarder en l'air. La fontaine est surmontée d'une statue en bronze représentant un garçon ailé.

— Elle a été érigée en mémoire de Lord Shaftesbury, précise Liz. Il a lutté contre le travail des enfants dans les mines.

Peter hoche la tête :

— Ce lord était certainement un type bien. Il faudrait s'occuper davantage des enfants, veiller sur eux comme le ferait une ombre bienveillante. Un petit ne devrait jamais se trouver sans son ombre.

Un lourd silence s'installe. Je comprends que Peter n'a pas dû être heureux tous les jours, et que c'est probablement encore le cas aujourd'hui. D'ailleurs, il poursuit :

— Tu sais, Nicky, il y a beaucoup de statues de gosses avec des ailes dans la ville. Mais ce n'est que de la pierre qui ne peut pas s'envoler.

— C'est curieux, je trouve qu'il te ressemble, dis-je en pointant l'ange du menton.

Liz ajoute :

— C'est vrai, mais tu me fais davantage penser au Peter Pan des jardins de Kensington. Et pas seulement à cause du prénom…

— Pourquoi ? demande le garçon.

— Tu connais tellement bien la ville, comme si tu pouvais voler au-dessus de ses toits.

Peter hausse les épaules et répond, moqueur :

— Sérieusement, Lizbeth, tu m'imagines avec des collants verts ?

Alors, comme s'il souhaitait passer à autre chose, notre compagnon tire des sandwiches d'un sac en papier et nous en propose.

Ils sont à la dinde, avec une tranche de bacon croustillant et de la salade croquante. C'est absolument délicieux. Avec mon argent de poche, j'offre une tournée de sodas. Peter nous précise entre deux bouchées :

— Il paraît que c'est un milord de l'ancien temps, Lord Sandwich, qui a inventé le sandwich, parce qu'il adorait jouer aux cartes et ne voulait pas quitter sa table de jeu au moment du dîner. L'explorateur James Cook a donné son nom à un archipel.

Je me souviens des leçons de Miss Hersey et demande :

— Cook, comme « cuisine » ?

— Tout juste. Cook, sandwich, qui prétend que l'Angleterre ne s'intéresse pas à la cuisine ? dit Peter en éclatant de rire.

Liz a raison, son ami sait quantité de choses. Comme il connaît les Walker, j'en profite pour l'interroger sur Franck et ses curieuses histoires. Peter écoute et finit par répondre avec un sourire en coin :

— Moi aussi ça m'a fait bizarre les premières fois ! Mais le père de Lizzy m'a appris deux ou trois choses utiles dans la vie. Seulement, Nicky, il faut être patient et laisser ce qu'il te dit faire son bonhomme de chemin dans ta tête.

— Comme le thé, Nicolas. Pour qu'il soit bon, donne-lui le temps d'infuser ! ajoute Liz en m'adressant un clin d'œil.

Peter nous quitte car il doit aider son oncle à faire un déménagement. C'est vrai qu'il a l'air costaud, mais de là à travailler comme un homme… Avant de quitter la place, je jette un dernier regard à la statue.

Sur le chemin du retour, je vois passer plusieurs *double-deckers,* les autobus rouges à impériale connus dans le monde entier. Il y en a cinq mille à Londres et, aux arrêts, les gens attendent patiemment, puis font la queue sans s'énerver avant de monter. Cela me fait penser qu'il faudra que j'envoie des cartes postales.

Le soir venu, je parle du parfum de Londres, cette odeur de cannelle et d'oignons, et de Lord Sandwich dont le nom amuse tant Peter. Kathryn observe :

— On voit que ton papa est cuisinier et que tu

t'intéresses à son travail.

— Mais c'est aussi ce qui a failli détruire la ville, ajoute Franck.

Et voilà, il recommence ! Je lui demande de préciser, sachant qu'il n'attend que ça.

— La gourmandise est à l'origine du grand incendie de Londres, en septembre 1666. Le feu a débuté dans la boulangerie de Thomas Farriner, dans Pudding Lane, et a ravagé la cité avant de s'éteindre à Pye Corner.

« Farine, ruelle du Pudding et coin de la Tourte », me traduit Liz. Je retiens surtout que la ville s'est transformée en brasier ardent qui a ravagé la plupart des quartiers. Les flammes immenses illuminaient le ciel en pleine nuit, dévorant toutes les maisons et la cathédrale Saint-Paul. Par malheur, le vent faisait voleter les brandons, qui déclenchaient de nouveaux foyers d'incendie. L'eau de la Tamise était en ébullition. Les gens étaient obligés d'abattre les bâtiments pour improviser des coupe-feu, une barrière de ruines qui avait pour but d'arrêter l'incendie. Je finis par interrompre Franck :

— Pourquoi vous me racontez tout ça ?

À cet instant, le téléphone sonne. C'est papa, qui me dit que tout va bien. Cela me fait plaisir et je n'ai pas envie de gâcher ce moment en lui parlant de cette manie qu'ont les Walker de s'exprimer par énigmes. J'ai l'impression de me retrouver dans un de ces romans policiers écrits par Agatha Christie que maman dévorait quand elle attendait Camille.

Mon séjour ici ressemble à une enquête, sans crime ni coupable, mais avec un mystère à élucider.

TROISIÈME JOUR

Des poings qui tambourinent à la porte me réveillent en sursaut.

— Allons, Nicolas, dépêche-toi, aujourd'hui c'est *Elizabeth's day* !

Le jour d'Elizabeth, c'est ce que nous avons décidé : mon amie va me faire découvrir des lieux qui lui sont chers. Nous avalons rapidement notre petit déjeuner et grimpons dans le métro.

— Vers où ?

— Destination : Nulle Part, le pays de Peter Pan ! se réjouit Liz.

En fait, nous gagnons la partie ouest de la ville. Je commence à m'y retrouver dans le métro. Si je devais rester plus longtemps, j'arriverais à me débrouiller tout seul. Cela me sera utile lorsque je reviendrai. Mon séjour ne va pas tarder à s'achever, et je préfère ne pas trop y penser. J'ai à la fois envie de retrouver ma famille et de rester ici, avec mon amie, ses parents et Peter.

— So-hoe ! crie Liz en sortant de la station.

Comme je lui demande pourquoi elle hurle comme ça, elle me répond que le quartier de Soho tient son nom d'un ancien cri de chasse à courre, car cette partie de la cité est longtemps restée la campagne. Ça ne se voit plus, mais je remarque tout de même que les rues sont étroites, rien à voir avec les grandes avenues du centre. Elles sont encombrées de monde, des gens qui vont d'une boutique à l'autre ou qui examinent la vitrine d'une galerie d'art.

Il y a beaucoup de couleurs, d'objets bizarres, notamment une quantité de gadgets en fer ou en plastique. Je vois un amusant presse-papier en forme de gros ressort qui ferait bien sur le bureau de maman, mais Liz me conseille de regarder le prix. Effectivement, c'est très cher !

— Suis-moi, j'ai beaucoup mieux à te montrer.

Mon amie s'élance dans le dédale de ruelles et nous parvenons à Gerrard Street. Là, c'est le dépaysement complet, à mesure que nous pénétrons dans Chinatown, le quartier chinois de Londres.

Les gens sont assis sur le pas de leur porte, des mères surveillent leurs enfants qui courent entre des étals posés à même le trottoir. Je vois une très vieille femme coiffée d'un chignon que saluent de jeunes hommes en costumes sombres. Ils s'inclinent en passant devant elle puis parlent à nouveau dans leurs téléphones portables. Il y a tellement de choses à voir que mon regard saute d'un endroit à l'autre. Mais surtout, je suis fasciné par les boutiques. On dirait que les propriétaires ne s'occupent pas des devantures, tant elles sont couvertes de poussière. Chacun des commerces propose aussi bien des pâtisseries que des jeux de cartes ou des petits postes de radio. Il flotte dans l'air une odeur différente de celle que j'ai sentie ailleurs dans la ville. C'est un parfum agréable et frais qui me fait penser au thym ou à la menthe qu'utilise papa pour faire la cuisine. J'aime l'ambiance qui règne ici, faite de chaleur et d'entraide. Les gens semblent former une véritable communauté. Nous parvenons aux limites du quartier.

En quelques pas, j'ai eu l'impression de franchir des milliers de kilomètres, comme si Liz avait le pouvoir de m'emmener dans un pays merveilleux. Je comprends qu'elle s'entende si bien avec Peter !

Puis nous allons à Marylebone Road, où je découvre une formidable file d'attente devant un bâtiment. Peter nous rejoint. Il tient un *brolly* – c'est le surnom du parapluie.

— Tu penses qu'il va pleuvoir ? demande Liz.

— C'est surtout pour avoir l'air d'un gentleman de la City ! répond Peter.

Je me rappelle mon cours d'anglais. Miss Hersey nous a expliqué que, jusqu'à une époque récente, les employés qui travaillaient dans le quartier des banques et des affaires étaient souvent coiffés d'un chapeau melon et se promenaient avec un parapluie. Mais ce n'est plus trop vrai depuis quelque temps.

Peter semble avoir des difficultés à se mouvoir, je lui en demande la raison.

— Je n'ai pas vraiment l'habitude de déplacer des meubles, dit-il en faisant mine de se courber sous l'effort.

C'est vrai ! Hier, il a participé à un déménagement…

Nous parlons de choses et d'autres en prenant place dans la queue, jusqu'à ce que Liz déclare :

— *Boys*, attendez-vous à être surpris par les invités de madame Tussaud.

— J'en ai entendu parler, Lizzy, mais l'entrée est payante… répond Peter d'un air gêné.

— Ne t'inquiète pas pour cela, mon père t'offre la visite. Ou plutôt il te remercie de toutes les anecdotes qui l'aident dans ses travaux.

— Une histoire pour une histoire, dans ce cas j'accepte ! se réjouit Peter.

Liz m'apprend que nous allons visiter un musée de cire, créé par Marie Tussaud, une Française qui avait fui la Révolution. Depuis son ouverture, l'endroit connaît un formidable succès. Je ressens immédiatement une impression étrange en découvrant les mannequins de cire. Orlando Bloom vêtu en elfe comme dans *Le Seigneur des anneaux*, Sean Connery que papa aime beaucoup, ils sont à la fois très ressemblants et complètement différents des photographies vues dans les magazines. Chacun est figé, mais comme prêt à s'animer d'un coup pour nous entraîner dans de folles aventures, un peu comme la statue de Peter Pan ou celle de Piccadilly Circus.

— Venez voir ! s'exclame Peter en s'attirant un regard noir du gardien.

Nous le rejoignons devant l'effigie d'un homme à petite moustache, chapeau melon et pantalon trop large. Il tient une fine canne en jonc.

— C'est Charlot, le célèbre comique des films muets ! dit Liz.

Papa et maman m'en ont déjà parlé, mais je ne le connais pas. Voyant mon air, Peter ajoute :

— En fait, c'est un personnage inventé par Charlie Chaplin qui a eu une enfance très pauvre et a vécu dans la rue. Quand je pense à lui, ça me donne l'espoir qu'un jour je réussirai dans la vie.

Alors, Peter sort deux balles en mousse de sa

poche et commence à jongler tout en faisant des claquettes. Franchement, c'est impressionnant, et j'aimerais pouvoir en faire autant !

Le surveillant du musée s'approche et le rappelle à l'ordre, ce qui n'intimide pas Peter. Mon ami lui fait une grimace, saisit une main de Liz tandis que je prends l'autre, et nous nous échappons. Riant à perdre haleine, nous traversons en courant les salles et les couloirs du musée avant de rejoindre le Planétarium. C'est une grande salle circulaire couverte d'un dôme. Son plafond voûté représente le système solaire.

Là, plongés dans la pénombre, nous tenant toujours par la main, nous grimpons dans les étoiles. À cet instant, j'ai l'impression de voler de la terre au soleil. Avec Liz, nous suivons Peter qui file comme une comète. Il semble trouver très facilement son chemin entre les astéroïdes, comme si c'était pour lui une promenade habituelle. Les astres brillent tels des bijoux posés sur un velours noir, et l'anneau de Saturne est semblable à une couronne. Liz avait raison, nous ne sommes plus à Londres ni en Europe, mais dans le pays de Nulle Part, celui de Peter Pan.

À la sortie, mon amie nous lance :

— Après ce voyage dans l'espace, je vous propose de remonter le temps !

Nous gagnons alors Baker Street. Liz nous conduit au numéro 221B, et là je découvre la maison de Sherlock Holmes ! Du moins, l'endroit où le détective est supposé avoir vécu en compagnie de son ami, le docteur Watson. Une dame vêtue comme une domestique du temps passé ouvre la porte.

— C'est aussi un musée, me dit Liz.

Mais j'ai du mal à le croire, car tout laisse à penser que les lieux sont habités. Un long manteau-cape et une casquette à double visière sont accrochés à un portemanteau. Une assiette de biscuits est posée sur une table basse, comme si les locataires s'apprêtaient à prendre le thé. J'ai l'impression que le détective et son compagnon se sont absentés momentanément, et qu'ils vont revenir d'un instant à l'autre.

J'hésite et finis par demander :

— Mais… Sherlock Holmes a vraiment existé ?

Peter se tourne en souriant vers Liz, qui me répond :

— Au moins dans l'imagination de son créateur, sir Arthur Conan Doyle. Et dans l'esprit de tous ses lecteurs !

Le détective n'est pas là, mais son absence le rend curieusement présent. Je pense alors à ma famille. Papa, maman et aussi Camille, parce que eux non plus ne sont pas là. Je réalise combien ils me manquent.

À cet instant, je dois avoir l'air dans le vague, car Liz passe rapidement la main devant mon visage. Je cligne des paupières et concentre mon attention sur les propos de mon amie.

— Dans ses enquêtes, Sherlock Holmes est parfois aidé par une bande d'enfants des rues. Pour lui, ils sillonnent les avenues de la ville, se glissent dans les impasses, inspectent les embarcadères du port de Londres. Ils sont ses yeux et ses oreilles.

Repoussant sa casquette en arrière, Peter dit :

— Eh, ça m'aurait bien plu de donner un coup de main au détective ! Je me vois bien filer un suspect dans le *smog*.

— Le quoi ?

Liz précise :

— C'est une contraction de *smoke* et *fog,* fumée et brouillard. Au XIXe siècle, la capitale en était tout le temps recouverte. Une épaisse couche de… Nicolas, comment dirais-tu en français ?

— Purée de pois ?

Liz approuve et traduit à Peter, qui tente de le répéter. *Puwé de poa*, il fait tourner le mot sur sa langue comme si c'était un bonbon. Nous rions tous les deux, jusqu'à ce que l'on remarque Liz, qui avance courbée en deux, le visage en partie dissimulé par son col de manteau relevé.

— Qu'y a-t-il, Lizzy ? demande Peter.

— Je suis Jack l'Éventreur qui s'avance dans le brouillard… fait notre amie d'une voix rauque. Je me prends aussitôt au jeu. Songeant à Sherlock Holmes, je forme un cercle avec le pouce et l'index, que je place devant mon œil gauche, comme si c'était une loupe.

— Attention, méchant Jack, je ne te laisserai pas faire, parole de grand détective !

Liz abandonne aussitôt son air menaçant pour redevenir une fragile jeune fille. Ses lèvres tremblent et elle prend un air apeuré :

— Au secours, je vous en supplie, que quelqu'un vienne m'aider !

Soudain, Peter ouvre son parapluie et le brandit au-dessus de Liz en affirmant :

— Tu pourras toujours compter sur moi pour te protéger, de la pluie et du reste !

Peter est quelqu'un de bien à qui l'on peut faire confiance. J'aimerais l'avoir pour ami, mais je repars pour la France demain. On échange une dernière poignée de main et Peter fait mine d'avoir les doigts broyés. Il souffle sur ses phalanges et me dit :

— Quand tu reviendras à Londres, Nicky, je t'engagerai comme déménageur !

Sur le chemin du retour, je me dis que savoir qu'il sera quelque part dans Londres, à arpenter les rues avec son éternel sourire, me fait du bien. Oui, on mesure combien les gens sont importants quand ils ne sont plus là.

Le soir, pour la dernière fois de mon séjour, je raconte ma journée à la famille Walker. Mais avant que Franck ne prenne la parole, je lui demande :

— Pourquoi me racontez-vous toujours des choses tristes ?

Cheese le chat tourne la tête vers son maître, comme s'il attendait une réponse.

— L'histoire n'est pas joyeuse ni triste, Nicolas. Elle est, tout simplement. Et la connaissance du passé permet dans le présent de nous préparer au futur.

— C'est ce que vous essayez de faire : me préparer à l'avenir ?

— Cela, il n'y a que toi qui puisses t'en charger, avec l'aide de ta famille. Pour notre ultime soirée, laisse-moi te raconter un épisode à la fois terrible et plein d'espoir.

— Un récit comme les aime Peter, ajoute Kathryn en s'asseyant près de sa fille.

J'écoute attentivement Franck :

— Durant des siècles, le pouvoir de frapper depuis le ciel n'a appartenu qu'aux dieux. Et puis il y a eu les bombardements aériens. Durant la Seconde Guerre mondiale, du 15 septembre 1940 au 10 mai de l'année suivante, Londres a subi un véritable déluge de bombes incendiaires lâchées par l'aviation nazie.

Chaque soir, entre deux cents et trois cent cinquante tonnes de projectiles frappaient la ville. Lorsqu'ils entendaient le hurlement des sirènes, les habitants de la cité se réfugiaient dans les caves ou les tunnels du métro.

— C'est un peu comme la peste et le grand incendie…

— Comment cela, Nicolas ? me demande Kathryn.

— Eh bien… La menace vient de l'air, c'était pareil pour la maladie. Et la ville est recouverte de flammes…

— Très juste, approuve Franck. Et, comme les fois précédentes, les Londoniens ont fait preuve de courage et de volonté. Le facteur relevait chaque matin le courrier dans les ruines, les vitrines des commerces affichaient une pancarte qui disait « *Business as usual* ».

— « Les affaires continuent », traduit Liz.

Kathryn poursuit :

— Même la cuisine était devenue une affaire importante, ce qui n'étonnerait pas ton papa. Pour Noël, le ministère du Ravitaillement avait inventé une recette de pudding que l'on pouvait préparer avec le peu de vivres disponibles, et des gens célèbres distribuaient des repas dans la rue. Chacun s'efforçait de soutenir le moral de la population. À commencer par la famille royale, qui est restée dans la capitale au mépris du danger. « Il n'y a pas de civils à Londres », avait déclaré la reine mère, ce qui voulait dire que tout le monde partageait le même sort.

Le silence s'installe dans le salon, je sens bien que les Walker sont émus. Franck reprend la parole :

— En fait, c'était comme au cricket.

Je ne suis pas sûr d'avoir compris et demande :

— Le sport ?

— Oui. Chaque année, au moment des sélections, les parties s'enchaînent pendant cinq jours, huit heures par jour, avec juste une demi-heure de pause pour le déjeuner. Cela demande de la part du public une certaine ténacité : il ne suffit pas simplement d'être spectateur, il faut rentrer dans le jeu. Eh bien, toute proportion gardée, c'était un peu pareil au moment des bombardements.

Les Londoniens ont manifesté la même persévérance pour continuer à mener une vie « normale », au mépris du danger.

Oui, sauf qu'il ne s'agissait pas d'un jeu.

Je comprends toutefois ce qu'il veut dire. Les Londoniens abordent de la même façon les affaires graves et leurs loisirs.

Ils sont sérieux, sans se prendre au sérieux. En tout cas, c'est l'impression que me donnent les Walker. Franck, bien sûr, mais aussi Liz, qui peut plaisanter de tout, et qui cependant connaît l'importance des choses.

Kathryn ajoute :

— On dit souvent qu'il n'y a que les Anglais pour comprendre vraiment les règles du cricket. Je crois qu'il faut être Londonien pour saisir ce qu'est notre façon d'être, surtout en temps de crise.

— C'est ce qu'il m'a semblé à travers vos histoires, dis-je en hochant la tête.

Mais il y a autre chose que j'ai compris en écoutant le père de Liz. Tous ses récits parfois terribles m'ont fait admettre combien, en réalité, je suis heureux.

C'est vrai que j'ai craint d'être mis de côté à la naissance de Camille. Alors je me suis éloigné, sans que ma famille y soit pour quoi que ce soit. Simplement, maman et papa doivent s'occuper du bébé. Camille est toute petite et bientôt elle grandira, prononcera ses premiers mots et je serai là pour les entendre. Je l'aiderai à donner un nom à ses poupées, soignerai ses bobos quand elle tombera dans le bac à sable derrière la maison. Couchée dans son lit, bien à l'abri dans ses couvertures les soirs d'hiver, elle m'écoutera lui lire ses premiers livres, je lui laisserai griffonner mes grilles de sudoku. Elle n'y mettra pas de chiffres mais dessinera des choses qui auront pour moi bien plus de signification. Puis je l'emmènerai à l'école, je marcherai au rythme de ses petits pas. Maman viendra nous chercher et papa nous servira une part du gâteau qu'il aura préparé pour le goûter. Puis j'aiderai mes parents à mettre la table pour le dîner, un moment que nous partagerons à quatre.

J'ai de la chance d'avoir une petite sœur.

RETOUR

Mes bagages sont prêts. Avant de quitter ma chambre, je regarde une dernière fois le lit. À mon arrivée, je m'y suis couché en ressentant de l'appréhension. Ce matin, je me suis levé léger, comme si j'avais abandonné un poids. Je descends l'escalier et entre dans la salle à manger. Le petit déjeuner m'y attend. C'est un authentique *breakfast*, avec œuf, tranches de bacon et saucisses grillées. Le goût des tomates frites est particulier, elles ont la saveur de l'amitié. J'aime cette famille qui m'a accueilli, en m'offrant sa chaleur et sa façon de vivre originale. J'ai fini par apprécier les étranges histoires de Franck, parce qu'elles m'ont aidé à comprendre mon propre comportement.

— Le taxi attend ! dit Kathryn en regardant par la fenêtre.

Franck prend ma valise, je franchis le seuil derrière Liz en jetant un regard au chat. Cheese se lisse les moustaches, d'un air décontracté qui semble dire : « Ne t'inquiète pas, on se reverra. J'attendrai le temps qu'il faut que tu reviennes. N'oublie pas que les chats ont neuf vies. »

Nous prenons la route empruntée à mon arrivée. J'ai l'impression d'évoluer dans un film qu'on rembobine pour revenir au début, mais pas exactement, car les choses ne sont plus pareilles. J'ai changé, et le nouveau Nicolas me plaît assez. Sur le chemin de l'aéroport, alors que nous ne sommes pas encore sortis de la ville, j'observe un couple curieux. Ils ont environ cinquante ans et sont habillés tout en noir de la tête aux pieds mais, surtout, leurs vêtements sont entièrement recouverts de points brillants, jusqu'à la casquette plate du monsieur ou au chapeau orné de dentelles qui coiffe la dame. Liz les a vus aussi.

— Ce sont des *pearlies king and queen*, me dit-elle, « un roi et une reine perlés ». C'est une coutume des cockneys, les habitants des quartiers populaires. La cité y est très attachée, car les *pearlies* viennent en aide aux plus démunis tout au long de l'année.

— Et pourquoi leurs tenues brillent-elles ?

— À cause des boutons de nacre qui sont cousus dessus. On dit que la tradition remonte à un petit garçon qui était fils d'un marchand de quatre-saisons. Il ramassait les boutons trouvés dans la rue pour en décorer sa veste et son pantalon.

— Cela me fait penser à Peter…

— As-tu remarqué les motifs ? demande Elizabeth. Un fer à cheval signifie la chance, une ancre symbolise l'espoir…

La femme nous fait un petit signe de la main. Je souris en me disant que c'est la façon qu'a Londres de me dire au revoir.

Le taxi se gare à l'entrée du terminal, nous gagnons le guichet de la compagnie aérienne. Liz souffle alors sur mon billet.

— Que fais-tu ?

— C'est ainsi que les fées embrassent dans le roman *Peter Pan*, me dit-elle. Comme ça, tu emporteras avec toi un peu de l'Angleterre.

Je lui réponds que Londres a dorénavant une place dans mon cœur.

— Ah, ces Français, quels sentimentaux ! plaisante Franck.

Je vois bien que lui aussi est ému. Il toussote, tourne la tête dans tous les sens, et fait mine de se rappeler qu'il doit acheter le *Times* en avisant un marchand de journaux. Il me serre la main, se retourne, et me laisse en compagnie de Liz et de sa mère. Kathryn me fait promettre de leur téléphoner. Pas seulement pour leur dire si j'ai fait bon voyage, mais chaque fois que je le souhaiterai, durant l'année.

— Et puis nous viendrons vous voir, j'ai hâte de connaître Camille !

Je me tourne vers Elizabeth. Liz, Lizzy, Lizbeth. Elle me tend la main, comme une grande dame, et je ne sais quoi faire, avant qu'elle éclate de rire et m'embrasse sur les joues.

— Tu n'es pas entré par la fenêtre, comme Peter, mais par la porte.

— C'est un peu moins original…

— L'important, c'est que tu aies trouvé le chemin.

Mon vol est annoncé. Je me dirige vers le hall d'embarquement en me retournant plusieurs fois.

« Les enfants devraient toujours être protégés par une ombre bienveillante », a dit Peter lors de notre deuxième rencontre. La mienne me suit et, si elle pouvait parler, je suis sûr qu'elle s'exprimerait en anglais.

J'ai hâte de retrouver mes parents et ma petite sœur. En même temps, je ne cesse de penser à Londres, à ses lumières, à son métro. La ville est semblable à une ligne qui relie passé, présent et futur, comme trois stations. Il me reste à descendre à la dernière, certain que je reviendrai à l'avenir. Et je retournerai à Londres avec Camille. Elle saura parfaitement se faire comprendre, puisque dans le monde entier on sait écouter les bébés.

Durant le voyage, je regarde à travers le hublot. Les maisons et les rues rapetissent à mesure que nous nous élevons, jusqu'à former une mosaïque de points. Bijoux de la Tour de Londres, enseignes lumineuses de Piccadilly, boutons des *pearlies* qui, cousus sur du tissu noir, me rappellent les astres du Planétarium : j'emporte avec moi toutes les couleurs de la cité, comme un arc-en-ciel sous lequel passerait mon avion. Je sais que Peter m'accompagne. Tignasse au vent, les revers de son veston trop large faisant comme des ailes, il plane en se maintenant à hauteur de l'appareil. Je l'entends m'appeler *Nicky*, et je lui murmure qu'il n'y a pas que les statues d'enfants qui sont capables de s'envoler.

LONDON

J'ai la terre qui tourne

J'ai la terre qui tourne

Le journal de
Zoé Pilou à
CUBA
Christelle Guénot

MANGO JEUNESSE

J'ai la terre qui tourne

Le journal de
Roxane Vernet au
Sénégal
Isabelle Lebrat • Zaü

MANGO JEUNESSE

J'ai la terre qui tourne

Le journal de
Victor Dubray au
Viêt-nam
Didier Dufresne • Bruno Pilorget

MANGO JEUNESSE

J'ai la terre qui tourne

Le journal
de Chloé Keller à
NEW YORK
Delinda Ellouzi-Jacobs • Lisa Roze

MANGO JEUNESSE